ANI
Y LA
ANCIANA

ANI
Y LA
ANCIANA

Miska Miles

Ilustraciones de Peter Parnall
Traducción de Katy Torre

LOS ESPECIALES DE

A la orilla del viento

FONDO DE CULTURA ECONÓMICA
MÉXICO-ARGENTINA-BRASIL-COLOMBIA-CHILE-ESPAÑA
ESTADOS UNIDOS DE AMÉRICA-PERÚ-VENEZUELA

Primera edición en inglés, 1971
Primera edición en español (FCE, México), 1992
Primera reimpresión (FCE, Colombia), 1993

Coordinador de la colección: Daniel Goldin

Título original: *Annie and the Old One*
D. R. © 1971, Miska Miles (texto)
D. R. © 1971, Peter Parnall (Ilustraciones)
Publicado por: Little, Brown and Company, Boston, Mass., EE.UU.

D. R. © 1992, Fondo de Cultura Económica, S. A. de C. V.
Carretera Picacho – Ajusco 227, México, D. F. – C. P. 14200
D. R. © 1993, Fondo de Cultura Económica Ltda.
Carrera 16 No. 80-18, Santafé de Bogotá, D. C.

ISBN 958-9093-66-3

Impreso en Colombia

Este libro se terminó de imprimir
en el mes de agosto de 1993 en los talleres de
Editorial Presencia Ltda.- Calle 23 No. 24-40
Santafé de Bogotá, D.C.
Se tiraron 3.000 ejemplares

ANI
Y LA
ANCIANA

Era bueno el mundo navajo de Ani: un mundo de arenas
ondulantes, de altos riscos de color cobrizo a lo lejos y de una
planicie baja cerca de su choza. Las calabazas entre el maizal
estaban amarillas y las espiguillas del maíz tomaban un color
marrón.

Cada mañana, la puerta del corral, que estaba cerca de la
choza, se abría de par en par y las ovejas salían a pastar al
desierto.

Ani ayudaba a cuidar las ovejas. Llevaba cubetas de agua
al maizal. Y todos los días caminaba hasta la parada y esperaba
el autobús amarillo que la llevaba y traía de la escuela.

Lo mejor de todo eran las noches, cuando se sentaba a los pies de su abuela y escuchaba historias de tiempos pasados.

A veces, a Ani le parecía que su abuela era de su misma edad: una niña que sólo había presenciado nueve o diez cosechas.

Si un ratón se escabullía o brincaba por el duro suelo de tierra de la choza, Ani y su abuela reían juntas.

Y cuando preparaban el pan frito para la cena, si se quemaba un poco en las orillas, se reían y decían que así sabía mejor.

Otras veces, cuando su abuela se sentaba, menuda y apacible, Ani comprendía que era muy vieja. Entonces Ani cubría las rodillas delgaditas de la anciana con una manta calientita.

Una de esas veces, su abuela le dijo:

—Mi nieta, es tiempo de que aprendas a tejer.

Ani tocó la trama de arrugas que surcaba la cara de su abuela, y lentamente salió de la choza.

Junto a la puerta, su padre, sentado con las piernas cruzadas, estaba trabajando con plata y fuego, haciendo un hermoso y pesado collar. Ani pasó frente a él y fue hasta el gran telar donde su madre tejía sentada.

Ani se sentó junto al telar a mirar, mientras su madre deslizaba la lanzadera entre los hilos de la urdimbre. Con lana roja, su madre añadió una hilera a una flecha roja que relucía sobre el fondo oscuro.

Ani se puso a pensar en otras cosas. Se acordó de las historias que le había contado su abuela: historias de tiempos difíciles, cuando las lluvias inundaron el desierto; de sequías, cuando no llovía y las calabazas y el maíz se secaban en el campo.

Ani dirigió su mirada a través de la arena, donde los cactos se llenaban de rojos frutos, y pensó en el coyote —el Perro de Dios— que cuida las chozas de los navajos, diseminadas por el desierto.

15

Ani observaba mientras su madre trabajaba. Se obligó a permanecer inmóvil.

Después de un rato, su madre la miró y sonrió.

—¿Estás lista para tejer, hija mía?

Ani negó con la cabeza.

Continuó mirando, mientras su madre movía la lanzadera haciendo un hueco para que pasaran los hilos de lana gris y roja.

Por fin, su madre le dijo con suavidad:

—Puedes irte —como si supiera que eso era lo que ella quería.

Ani se fue corriendo a reunirse con su abuela, y juntas recogieron varitas y yerbas secas para el fuego que se encendía en el centro de la choza.

Cuando la cena estuvo dispuesta, la anciana llamó a la familia.

Ani, su madre y su padre permanecieron de pie, respetuosamente, esperando a que la abuela hablara.

Desde la meseta un coyote aulló. En la choza no se oía un ruido. No se oía nada, excepto el crepitar débil del fuego que se apagaba.

Entonces la abuela habló suavemente.

—Hijos míos, cuando el nuevo tapete se pueda bajar del telar, yo me iré a la Madre Tierra.

Ani se estremeció y miró a su madre.

Los ojos de su madre brillaban llenos de lágrimas, y Ani supo lo que su abuela quería decir.

Su corazón dio un vuelco, y ella guardó silencio.

La anciana volvió a hablar.

—Cada uno de ustedes elegirá el regalo que desee.

Ani miró el suelo de tierra dura, bien barrido y limpio.

—¿Tú qué quieres, nieta mía? —preguntó la abuela.

Ani contempló una lanzadera apoyada en la pared de la choza. Era la lanzadera de la abuela, bella y pulida por el tiempo. Ani la miró directamente.

Como si Ani hubiera hablado, su abuela asintió.

—Mi nieta recibirá mi lanzadera.

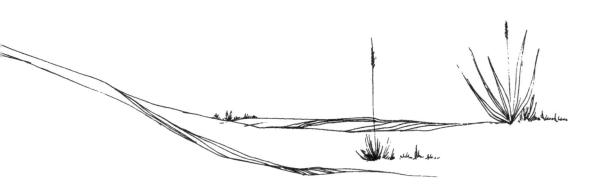

En el suelo de la choza había un tapete que había tejido la abuela hacía mucho, mucho tiempo. Sus colores se habían atenuado y su urdimbre y tejido eran resistentes.

La madre de Ani eligió el tapete. Su padre escogió el cinturón de plata incrustado con turquesas que ahora le venía grande a la pequeña cintura de la anciana.

Ani cruzó los brazos con fuerza sobre su pecho y salió; su madre la siguió.

—¿Cómo sabe mi abuela que irá a la Madre Tierra cuando se baje el tapete del telar? —preguntó Ani.

—Muchos viejos lo saben —dijo su madre.

—¿Cómo lo saben?

—Tu abuela es una de esas personas que viven en armonía con toda la naturaleza: con la tierra, el coyote, las aves del cielo. Sabe más de lo que muchos jamás podrán aprender. Esos ancianos saben.

Su madre suspiró profundamente.

—Vamos a hablar de otras cosas.

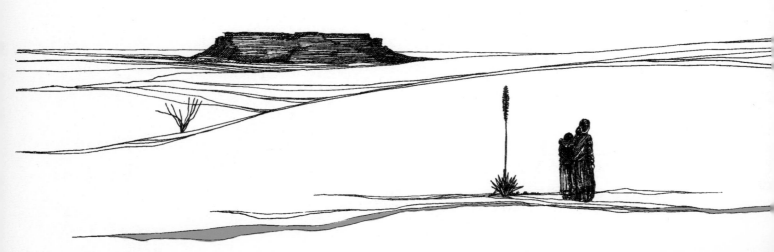

Durante los días que siguieron, la abuela continuó trabajando como siempre lo había hecho.

Molió el maíz para el pan.

Recogió leña seca y varas para hacer fuego.

Y cuando no había escuela, ella y Ani cuidaban de las ovejas y escuchaban la música clara y dulce del cencerro que colgaba del collar de la cabra guía.

El tejido del telar había crecido mucho. Casi llegaba a la cintura de Ani.

—Madre —dijo Ani—, ¿por qué tejes?

—Tejo para que podamos vender el tapete y comprar las cosas que necesitamos en la tienda general. Plata para la joyería. Piel de venado para las botas.

—Pero ya sabes lo que dijo mi abuela.

La madre de Ani no contestó. Hizo pasar su lanzadera por la trama y enganchó un hilo de lana de color rojizo.

Ani se dio vuelta y corrió. Corrió por la arena y fue a acurrucarse a la sombra de un pequeño saliente. Su abuela regresaría a la Tierra cuando se bajara el tapete del telar. El tapete no debía terminarse. Su madre no debía tejer.

A la mañana siguiente, Ani seguía a su abuela adonde ella fuera.

Cuando fue hora de ir a la parada del autobús de la escuela, ella empezó a haraganear, caminando despacio y mirándose los pies. Quizá así perdería el autobús.

Y de pronto, no quiso perderlo. Ya sabía lo que tenía que hacer.

Corrió lo más aprisa que pudo, respirando profundamente, y el autobús amarillo la estaba esperando en la parada.

Ani subió. El autobús avanzó; luego hizo algunas paradas ante las chozas del camino. Ani se sentó sola, y preparó su plan.

En la escuela se portaría mal, tan mal que la maestra tendría que llamar a su madre y a su padre.

Y si su madre y su padre iban a la escuela a hablar con la maestra, sería un día en que su madre no podría tejer. Un día.

En el patio, la maestra de Ani se encargaba de la clase de gimnasia de las niñas.

—¿Quién dirigirá hoy los ejercicios? —preguntó la maestra.

Nadie contestó.

La maestra rió.

—Muy bien. Entonces yo dirigiré.

La maestra era joven, con cabello rubio. Su falda azul era amplia, y los tacones de sus zapatos de color café eran altos. La maestra se quitó los zapatos bruscamente y las niñas rieron.

Ani siguió los movimientos de la maestra: agachándose, saltando, y luego esperó el momento en que la maestra les hiciera correr alrededor del patio.

Cuando Ani pasó corriendo junto a donde estaban los zapatos de la maestra, recogió uno y lo escondió entre los pliegues de su vestido.

Ani pasó corriendo junto a un bote de basura y dejó caer adentro el zapato.

Algunas niñas la vieron y rieron, pero otras se pusieron serias y solemnes.

Cuando la fila pasó cerca de la puerta del salón de clases, Ani salió de ella, y se sentó ante su pupitre.

Oyó claramente cuando la maestra hablaba afuera a las niñas.

—El otro zapato, por favor.

Su voz era agradable.

Hubo un silencio.

Cojeando, con un zapato puesto y el otro no, la maestra entró en el aula.

Las niñas la siguieron, riendo y tapándose la boca con la mano.

—Ya sé que es chistoso —dijo la maestra—, pero ahora necesito el zapato.

Ani miró hacia las duelas del piso. Un escarabajo negro y brillante se escabulló entre las rendijas.

Se abrió la puerta, y entró un maestro con un zapato en la mano. Al pasar junto al pupitre de Ani le tocó el hombro y le sonrió.

—Vi a alguien haciendo travesuras —dijo.

La maestra miró a Ani y toda la clase guardó silencio.

Cuando terminaron las clases, Ani esperó.

Tímidamente, encogido el corazón, se acercó al escritorio de la maestra.

—¿Quiere que vengan mi madre y mi padre a la escuela mañana? —preguntó.

—No, Ani —dijo la maestra—. Ya tengo el zapato. Todo está bien.

Ani sentía la cara caliente y las manos frías. Dio la vuelta y corrió. Fue la última en subir al autobús.

Por fin, llegó a su parada. Bajó de un salto y lentamente inició el largo camino a casa. Se detuvo junto al telar.

El tapete le llegaba ya mucho más arriba de la cintura.

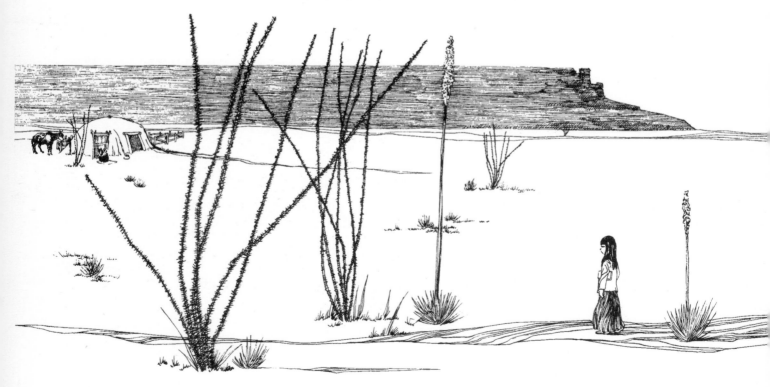

Esa noche, Ani se acurrucó bajo su manta. Durmió poco y despertó antes del amanecer.

No se oía nada bajo la piel de borrego que cubría a su madre. Su abuela era un bulto silencioso, envuelta en su manta. Ani sólo oía la fuerte respiración de su padre dormido. No había otro sonido en toda la Tierra, excepto el aullido de un coyote en la lejanía del desierto.

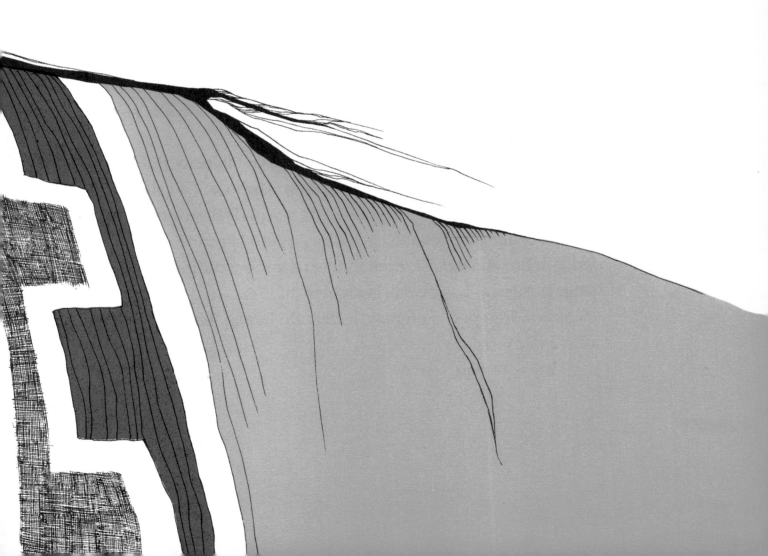

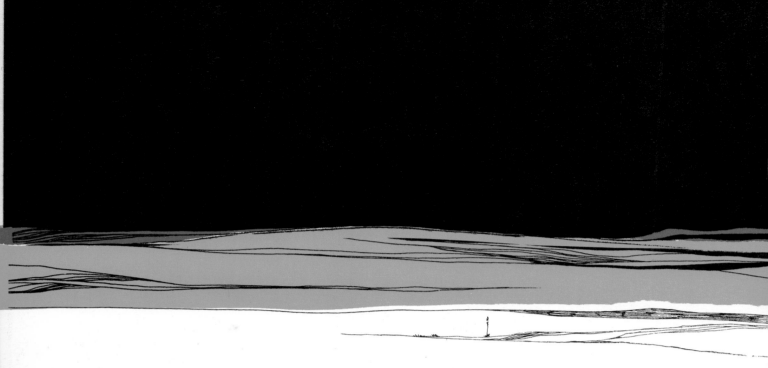

En la luz tenue del amanecer, Ani se dirigió al corral donde dormían las ovejas. La madera seca rechinó cuando ella abrió la puerta de par en par.

Tiró de una oveja hasta que se levantó en silencio. Entonces otras más se levantaron, inciertas, empujándose. La cabra guía se volvió hacia la puerta abierta y Ani deslizó sus dedos entre el collar que llevaba al cuello. Apretó la punta de los dedos sobre el cencerro, acallando su sonido y dirigió la cabra hacia la puerta. Las ovejas la siguieron.

Las condujo por la arena y, rodeando la pequeña meseta, soltó a la cabra.

—Vete —le dijo.

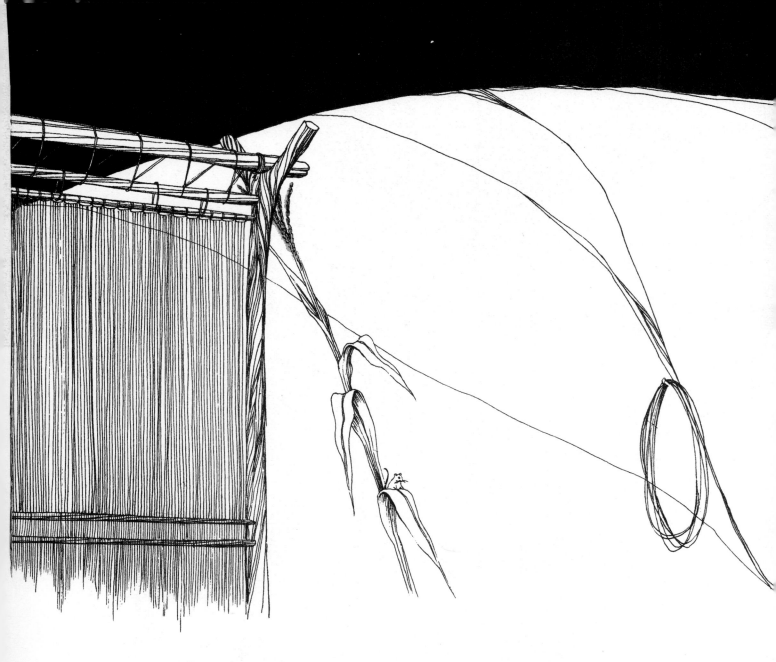

Corrió de vuelta a la choza, se deslizó bajo su manta y se quedó temblando. Ahora su familia buscaría las ovejas durante todo el día. Ése día su madre no tejería.

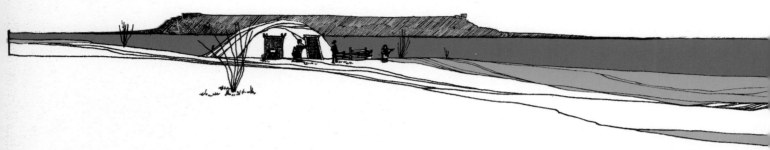

Cuando se hizo plenamente de día y hubo luz, Ani vio cómo su abuela se levantaba y salía.

Ani oyó que la llamaba.

—Los borregos se han ido.

La madre y el padre de Ani salieron apresurados, y Ani los siguió.

Su madre murmuraba.

—Los borregos… los borregos…

—Ya los veo —dijo la abuela—. Están pastando cerca de la meseta.

Ani fue con su abuela y cuando alcanzaron a los borregos, los dedos de Ani se deslizaron bajo el collar de la cabra, y el cencerro sonó con fuerza; los borregos la siguieron hasta el corral.

Aquel día en la escuela, Ani estuvo tranquila, sentada, pesando qué más podía hacer. Cuando la maestra hacía preguntas, Ani miraba al suelo. Ni siquiera la oía.

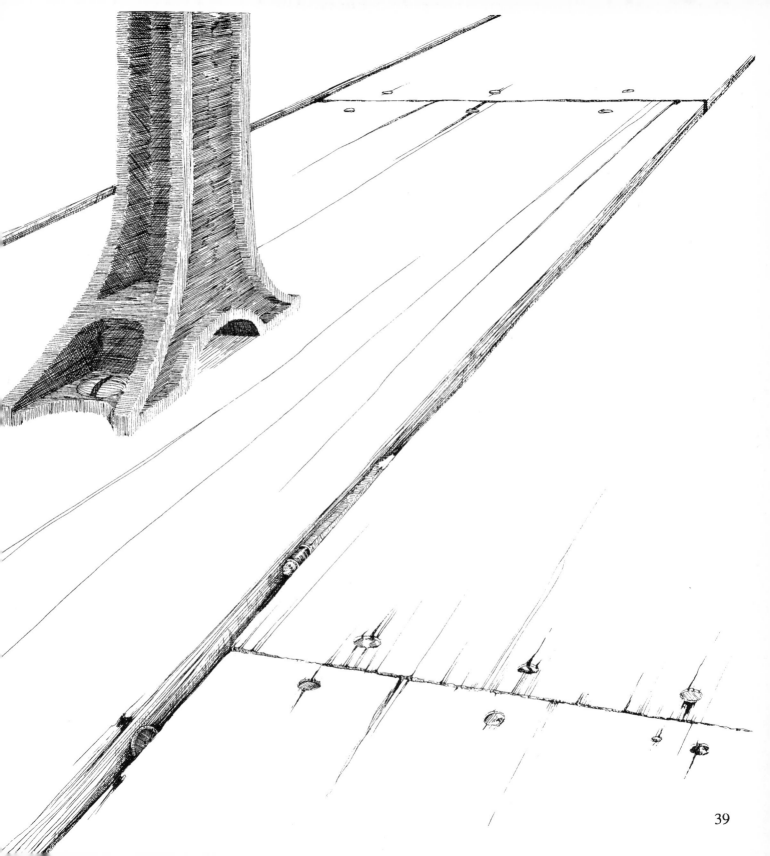

39

Cuando llegó la noche, se envolvió en su manta, pero no para dormir.

Cuando hubo silencio se deslizó de su manta y salió de la choza.

El cielo estaba oscuro y misterioso. El viento soplaba levemente contra su cara. Por un momento permaneció inmóvil hasta que pudo ver en la noche. Fue hasta el telar.

A tientas buscó la lanzadera donde estaba colocada entre los hilos de la trama. Separó la trama y buscó la lana.

Despacio, tiró de las hebras de lana, una por una.

Una por una las fue colocando sobre sus rodillas.

Y cuando hubo sacado toda una hilera, separó otra vez los hilos de la trama y siguió con la segunda hilera.

Cuando la altura del tapete tejido le llegó hasta la cintura, volvió en silencio a su manta, llevándose las hebras de lana.

Bajo la manta, enredó los hilos e hizo con ellos una bola. Y entonces se durmió.

A la noche siguiente, deshizo el tejido de todo el día.

Por la mañana, cuando su madre fue al telar, se quedó mirando el tejido, asombrada.

Por un momento se apretó los ojos con los dedos.

La anciana miró a Ani con curiosidad.

Ani aguantó la respiración.

La tercera noche, Ani se deslizó hasta el telar.

Una mano suave le tocó el hombro.

—Vete a dormir, mi nieta —dijo la anciana.

Ani quiso abrazar a su abuela por la cintura y decirle por qué se había portado mal, pero sólo pudo volver, tropezando, hasta su manta, acurrucarse bajo ella y dejar que las lágrimas se deslizaran hasta su pelo.

Cuando llegó la mañana, Ani salió de su manta y ayudó a preparar el desayuno.

Después siguió a su abuela a través del maizal. La abuela caminaba lentamente y Ani adaptó su paso al de la anciana.

Cuando llegaron a la pequeña meseta, la anciana se sentó cruzando las rodillas, y juntando sus dedos deformes sobre el regazo.

Ani se arrodilló a su lado. La anciana miró a lo lejos, donde la orilla del desierto se une con el cielo.

—Nieta mía —dijo—, has querido detener el tiempo. Eso no puede hacerse.

El desierto se extendía, amarillo y marrón, hasta el cielo de la mañana.

—El Sol sale de la orilla de la Tierra por la mañana. Vuelve a la orilla de la Tierra por la noche. La Tierra, de la que salen cosas buenas para los seres vivos que hay en ella. La Tierra, a donde van a parar finalmente todos los seres vivos.

Ani tomó un puñado de arena color marrón y la apretó con la palma de la mano. Lentamente, la dejó correr al suelo. Comprendió muchas cosas.

El Sol salía, pero también se ponía.

El cacto no floreaba siempre. Los pétalos se desprendían y caían a tierra.

Supo que ella era parte de la Tierra y de las cosas que había sobre ésta. Siempre sería parte de la Tierra, como lo había sido su abuela, como sería su abuela siempre y para siempre.

Y Ani se quedó sin respiración, maravillada.

Volvieron a la choza juntas, Ani y la anciana.

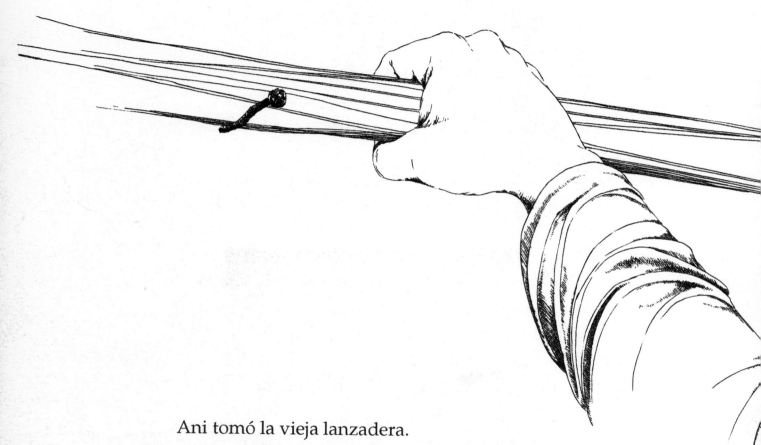

Ani tomó la vieja lanzadera.

—Estoy lista para tejer —le dijo a su madre—. Usaré la lanzadera que me ha dado mi abuela.

Se arrodilló ante el telar. Separó los hilos de la trama y deslizó la lanzadera hasta su lugar, como lo hacía su madre, como lo había hecho su abuela.

Tomó un hilo de lana gris y empezó a tejer.